HAESSLÉ

30 ans de peinture

C.U. : Une question simple mais importante : comment as-tu ou pourquoi as-tu commencé à peindre ?
J-M.H : A dix-sept ans, j'ai eu une maladie, quelque chose de très bizarre, qui arrive normalement quand on a soixante ans.

Parce que tu travaillais dans les mines ?
Peut-être. Mais à mon avis, c'était surtout un problème émotionnel. Sans le savoir, j'étais très malheureux dans les mines, et l'environnement, c'était l'horreur.
C'était comme si mon inconscient m'avertissait que si je ne changeais pas de vie, ça se passerait mal.
A dix-sept ans, j'ai pris conscience de la mort. Je me disais : "Je suis là... et demain je peux être dans la boîte avec les copains qui marchent derrière." Rien de mieux pour te faire réfléchir.
C'est là que mon frère m'a donné un bouquin sur la vie de Van Gogh, que j'ai lu comme un fou et relu une deuxième fois, et qui m'a fait dire : "Je veux être un artiste".
Même avant ça, l'art m'intéressait. A dix ans, j'ai passé six mois à l'hôpital - j'ai fait toute ma formation à l'hôpital - et je copiais les bandes dessinées.
Je crois que mon père aurait dû être un artiste, parce que mon grand-père était peintre d'enseignes.

Ton père, lui, n'était pas peintre d'enseignes ?
Non. Son père est mort à trente-cinq ans, empoisonné par le plomb ; classique à l'époque. Il fumait constamment, il roulait les cigarettes en mélangeant les couleurs.
Mon père, à dix ans, était donc déjà à l'usine. Pas question de devenir artiste peintre.
A ce moment-là, donc, je me suis dit "Ma vie n'appartient qu'à moi ; je peux en faire ce que je veux" et j'ai décidé de devenir peintre.
Après ma guérison, au lieu de dire "merde" à tout le monde, j'ai repris mon boulot aux mines. Ensuite, j'ai été appelé ; j'ai passé deux ans et demi à l'armée. C'est d'ailleurs là que j'ai vu un musée pour la première fois.
C'était à Munich, j'avais vingt ans, et j'ai vu ce qui est pour moi un des grands chefs-d'œuvre de Van Gogh : **Le tournesol** à fond bleu. Ce n'est plus de la peinture, c'est de la magie.

C.U. I'd like to ask you a simple but important question to start with: how or why did you start painting?
J.M.H. When I was seventeen I became very sick; it was an odd illness that you normally get when you're sixty.

Because you were working in the mines?
Maybe. But I think it was essentially an emotional problem. Though I didn't realise it at the time, I was very unhappy in the mines, it was an awful environment.
It was as if my subconscious were warning me that if I didn't change my life, I was heading for trouble. I became aware of death at the age of seventeen, and I thought to myself: "I'm here today... and tomorrow I might be in a box with my pals bringing up the rear." There's nothing quite like it to get you thinking.
It was then that my brother gave me a book about the life of Van Gogh, which I read hungrily, and re-read, and that's what made me say: "I want to be an artist."
I had been interested in art even before that. When I was ten I spent six months in hospital - I did all my training in hospital, copying cartoons.
I think my father should have been an artist because my grand-father was a sign-painter.

Your father wasn't a sign-painter?
No. His father died from lead-poisoning at the age of thirty-five - it was classic at the time. He was always smoking and used to roll his cigarettes while he was mixing his colors.
So by the age of ten, my father was in a factory. Becoming an artist was out of the question.
So I said to myself: "my life is my own, I can do what I want with it" and I decided to become a painter.
Once I was cured, instead of telling everyone to go to hell, I went back to my job in the mines. Then I was called up and spent two and a half years in the army. That's when I saw my first museum as it happens. It was in Munich, I was twenty years old, and I saw what I consider to be one of Van Gogh's great masterpieces: Sunflower against a blue background (Le tournesol à fond bleu). It's more than just a painting, it's magic. When I was demobilized I "went up to Paris" as we used to say, it was in 64. I met an American girl there, we moved in together and came to New York in 1967.

Après l'armée, je suis donc, comme on disait à l'époque, "monté" à Paris, c'était en 64.
Là j'ai rencontré une Américaine, on a habité ensemble et on est venus à New-York en 1967.

Quand on regarde tes toiles, du moins les plus récentes, on a l'impression d'une certaine rapidité, spontanéité. Or il n'y a pas que ça.
En fait la question du temps que l'on passe sur une toile ne veut rien dire.
C'est assez rare mais il m'arrive de faire une toile très rapidement et de ne plus y toucher. Je me dis : "C'est absolument à ça que je voulais arriver."
Le côté radical, c'est de repeindre. Cette toile, par exemple, a été commencée en 92. Elle représente donc quatre ans de peinture, par intermittence évidemment. A la fin, il reste effectivement des touches très libres et très immédiates, spontanées. Mais le spontané pour moi reste malgré tout une espèce de sphinx. Le totalement spontané est une chimère. Pollock, par exemple, qui travaillait dans le spontané, l'intuitif total, disait qu'à un moment donné, on est plus "en contact", et rien ne va plus. C'est compliqué parce que des fois on croit être "en contact" et finalement on ne l'est pas. D'autres fois on l'est et on ne s'en rend pas compte. Petit à petit, je commence à mieux me rendre compte lorsque je suis en contact qu'avant. C'est peut-être l'expérience.

Dessin 1958

When we look at your paintings, the latest ones at least, there's a sense of rapidness, of spontaneity. But there's a lot more to them than that.
In fact the amount of time you spend on a painting doesn't mean a thing. It's quite rare, but sometimes I do a painting very quickly and leave it as it is. I think to myself: "That's exactly what I was looking for."
The radical part is the repainting. I started this painting for example back in 92. It represents four years' worth of painting, intermittently of course. What we're left with are effectively very free, very immediate, spontaneous brushstrokes. But for me spontaneity still remains a kind of Sphinx. Complete spontaneity is an illusion.
Pollock, for example, who worked in the spontaneous, the completely intuitive, used to say there comes a moment when you're no longer "in touch" and things no longer work . It's complicated because sometimes we think we're in touch but when it comes down to it we aren't. At other times we are but we don't realise it. I'm gradually beginning to realise better than I used to when I am in touch. Perhaps that's experience.

What do you call being "in touch?"
Being intuitively on the same wavelength between what I'm feeling and what I'm able to paint, what I end up with on the canvas.

Dessin 1958

Qu'est-ce que tu appelles être en contact ?
Etre intuitivement sur la même longueur d'onde entre ce que je ressens et ce que je peux réaliser, ce que je retrouve sur la toile.

Réussir à exprimer ce que tu veux.
Oui.

Où ne pas se laisser dépasser par l'expression ?
Avec la volonté seule, on est sûr d'échouer. Si la volonté suffisait, tout le monde ferait des chefs-d'œuvre.
Il y a autre chose : c'est l'intuition. Or, l'intuition est quelque chose qui peut arriver entre deux coups de fil, quand quelqu'un t'attend... c'est comme jouer à cache-cache. Déjouer cela, c'est aussi une façon de travailler. Des fois, je prends le pinceau qui est plein d'eau, de boue, et il se passe quelque chose qui soudain me donne le déclic. Quelquefois aussi, lorsque je sens que je dérape, si je fais un geste avec mon pinceau, il me semble que ça ne va pas marcher. C'est là que je me dis : "Il ne faut plus y toucher" et continuer dans cette direction.
C'est quand on croit que ce n'est pas possible que l'on fait quelque chose de différent.

Comment en es-tu arrivé à l'insertion de cet alphabet anthropomorphique?
Vers la fin des années 80, je ressentais une frustration quant aux possibilités de "communication" de mon travail, puis il y a eu la découverte de ces corps humains que je trouvais fantastiques.
Du jour au lendemain, j'ai fait table rase.
J'ai pris une seule image, disons le B, que j'ai projetée sur un fond noir et j'ai écarté la couleur pendant plus d'un an. Ce qui m'intéressait particulièrement, c'était l'expressivité de la ligne accidentée de ces gravures sur bois, que l'on découvrait et qui était amplifiée par la projection. En fait, il faut dire que l'introduction de ces corps humains dans mon travail servait à la mise en exergue de la puissance expressive de la ligne. Comme la pomme de Cézanne, ils s'imposaient à moi dans leur forme.
Ensuite, j'ai fragmenté ces corps, ces "formes" et là, j'ai commencé à réintroduire de plus en plus la couleur, puis la

Being able to express what you want?
Yes.

Or not letting expression get the better of you?
With nothing but will you're bound to fail. If all it took were will, everyone would be making masterpieces. There's something else: intuition. You see, intuition is something that can occur between two phone calls, when someone's waiting for you...it's like playing hide and seek. By pass that is another way of working. Sometimes I pick up a brush gorged with water, with mud, and something happens that makes things click for me. Sometimes when I feel I'm losing it, if I attempt a brushstroke I get the impression it's not going to work. That's when I say to myself: "leave it as it is", or even go in that direction.

How did you come to use this anthropomorphic alphabet?
Towards the end of the eighties, I felt frustrated about my work's ability to communicate, and then I came across these human bodies, which I found fantastic.
I wiped the slate clean from one day to the next. I took a single image, the B for example, and projected it onto a black background and ruled out color for over a year
What particularly aroused my interest were the uneven lines of these woodcuts which became more apparent as they were amplified through the projecting process. In fact the truth

Dessin 1958

matière. Le coup de pinceau, s'est fait plus visible et existant. D'une façon assez logique, les fragments que j'agrandissais devenaient de plus en plus abstraits, des lignes. Ce que j'ai aussi appris, c'est qu'en utilisant le projecteur, on est obligé de travailler dans l'ombre et il y a des moments où on ne voit pas très bien ce que l'on fait.

Cela pour la ligne.
Oui, seulement au niveau du tremblement, de l'hésitation de la ligne. La couleur, ça se fait dans la lumière, le dessin, dans l'ombre.
Le paradoxe, c'est que pour mieux voir le dessin, il faut que j'enlève la lumière donc la couleur. Des choses se passent, il y a des coulures. Le dessin est devenu beaucoup plus libre qu'avant. En projetant, j'ai compris que ne pas tout voir, avoir des hésitations représente un plus. C'est aussi provoquer la chance de façon systématique.

Tu as peut-être aussi acquis une plus grande confiance, une plus grande liberté.
Avant, je prenais le dessin, je le projetais et je trouvais des compositions. Maintenant, je prends un dessin pratiquement au hasard et je me le "focusse". Il est sur le côté, il est coupé mais c'est bien.
Les fragments que j'utilise en ce moment sont différents. Ils sont eux-mêmes des collages de fragments. Toutes ces combinaisons ne me proviennent que de deux ou trois dessins originaux. Apparemment insignifiants au départ, certains deviennent surprenants une fois agrandis. Cela n'exclut pas la réapparition d'éléments figuratifs.
C'est vrai que je suis plus libre qu'avant au niveau du dessin, je n'hésite pas à retravailler. Je procède par couches successives dont le hasard - intuition - me pousse à épargner certaines parties du tableau, créant ainsi un dialogue entre les différentes surfaces, une profondeur.
En dernier lieu, la ligne - forme - doit donner à la toile sa légibilité finale.

is that introducing these human bodies into my work was a way of bringing out the expressive power of the line. Like Cézanne's apple, they became a necessity for me in their form.
Then I fragmented these bodies, these forms. The brushstroke became more visible and present. The fragments I enlarged quite logically grew more and more abstract, they became lines. What I also discovered was that using the projector meant working in semi-darkness, and there are times when you can't see what you're doing very clearly.

Regarding the line ?
Yes, just in the shaky, hesitant quality of the line. I add color in the light and draw in the dark.
The paradox is that to get a better look at the drawing, I have to remove the light, and therefore the color. Things happen, there are runs. The drawing has become a lot freer than before. By projecting, I realised that not seeing everything, having hesitations is a plus. It's also a way of systematically coaxing chance

Perhaps you've also gained in confidence, freedom?
Before I used to take the drawing, project it and that's how I invented compositions. Now I choose a drawing almost at random and "focus" it. It may be sideways or truncated, that's fine. The fragments I'm using at the moment are different. They are themselves collages of fragments. I derive all these combinations from two or three original drawings. What were apparently insignicant drawings to start with become surprising once they're enlarged. This doesn't mean figurative elements cannot reappear.
It's true that I'm freer in the drawing than I was before, I don't hesitate to rework. I build up successive layers, and chance - intuition - guides me in saving certain areas of the painting, which creates a dialogue between the various surfaces, and gives depth.
Finally, the canvas's ultimate legibility has to come from the line - the form .

Propos recueillis par Catherine Ulmer
New-York, juin 1996

*Interviewed by Catherine Ulmer
New-York, June 1996*

TIRAGE DE TÊTE DÉDICACÉ

AU MÊME TITRE
collection

Nous espérons que vous apprécierez cet ouvrage que nous avons conçu avec le plus grand soin.

Tous nos livres existent également en tirage de tête dédicacé accompagné d'un tableau de l'artiste (œuvre sur toile) de même format 27 x 25 cm.

Pour de plus amples renseignements,
nous vous prions de bien vouloir contacter :

AU MÊME TITRE collection
2, rue Marcelin Berthelot
93100 MONTREUIL SOUS BOIS - FRANCE
Tél : 01 42 74 22 95 - Fax : 01 42 74 23 28

R. Keer Gallery.
New York, NY, 1985

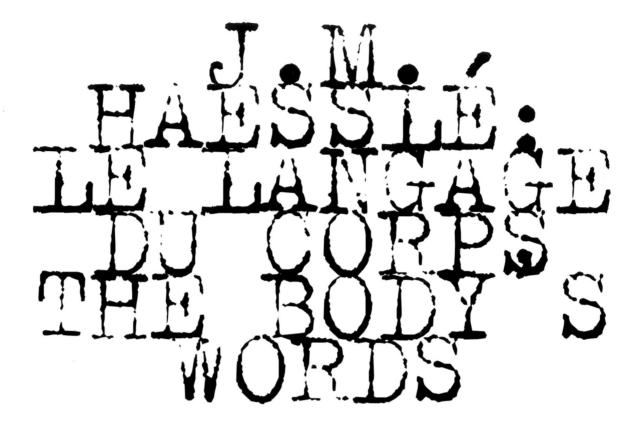

J. M. HAESSLÉ
LE LANGAGE DU CORPS
THE BODY'S WORDS

Jean-Marie Haesslé se rappelle encore le survol des avions américains bombardant l'Alsace durant son enfance ; il se rappelle des cris de son père et des prières de sa mère. Il est né en territoire déchiré et vit maintenant heureux en exil à New York et cette chance se perpétue au travers de tableaux empreints d'une grande intensité. Bien qu'un de ses grands-oncles ait peint des fresques dans une église avant de devenir légionnaire, son enfance n'a pas baigné dans la tradition du grand art, sa seule référence était la lecture de *Tintin*. A l'âge de 14 ans, Haesslé devient apprenti ajusteur dans les mines de potasse d'Alsace, là il développe son sens des mathématiques et du métal, devenant un mécanicien méticuleux. La finesse de son travail, pratiquement minimaliste, lui enseigne la patience et la ténacité : telle une leçon apprise au Bauhaus, qui l'aide à devenir un dessinateur technique. Cette habilité lui permet de collaborer

Jean-Marie Haesslé can still remember the low-flying American planes bombing in Alsace during his early childhood; he remembers his father screaming, and his mother praying. He was born in contested territory and lives in happy exile in New York, and his luck continues in ferocious paintings. His childhood had no images from the tradition of high art, just Tintin, although one grand uncle had painted frescoes in a church before becoming a Legionnaire. Haesslé had the strange experience of entering the mines at fourteen, yet he was developing his sense of mathematics and metal and turning himself into a fastidious mechanic. The finesse of his minimalist-seeming metal work taught him patience and tenacity: a Bauhaus-like lesson that helped him become a technical draughtsman. Before the epoch of the computer, this fine hand permitted him collaboration with architects and is part of the fury of his work. He speaks of the uncons-

avec des architectes avant même l'époque de l'ordinateur et fait partie de l'intensité de son travail. Il parle du malheur inconscient de son enfance et de son adolescence. A l'âge de dix-sept ans, il est très affecté par une maladie dont il manque de mourir. A l'hôpital, c'est à la lecture de la vie romancée de Van Gogh qu'il doit sa conversion décisive à un idéal qu'il n'a jamais trahi : l'art de peindre.

Cette conversion le conduit à Paris en 1964, puis à New York. A Paris, il loue un appartement au huitième étage sans ascenseur et travaille sur les intenses tendances expressionnistes de ses débuts. On trouve dans ces nouveaux et surprenants premiers dessins l'inspiration et le goût de Dubuffet pour la terre et la boue vierge Adamique. Dans ses plus récents dessins, comme dans ses plus anciens, sa calligraphie crispée et obsédante le conduit au seuil d'une totale abstraction. A cette époque, il n'a pas encore fait "l'expérience" du Nouveau Réalisme ou du Pop Art français. Il travaille sur la sublimation de tout ce romantisme de ces trente dernières années, mais sa couleur éclatante est un hommage durable à l'irrationnel. Cette première période est influencée par certaines expériences du Groupe Cobra, par les poèmes calligraphiques d'Henri Michaux, par Karel Appel et d'autres peintres. Le travail d'écriture utilisé dans ces premiers travaux calligraphiques accompagne ses lectures, non seulement de Zola, Balzac et Michelet, mais aussi des symbolistes et, avec un ami, il se met à rêver d'un art de multiplicité, de dessins automatiques, d'une musique qui "tape sur les nerfs". Cette musique crispante et bruyante devient l'œuvre de ses débuts ; elle est synonyme de doute, de multiplicité, et d'auto-contradiction. Il travaille en collaboration avec cet ami proche et parle d'expérience analogue au Situationnisme. Toute cette dérive "géo-psychologique" dans les dédales de la peinture marquera ses futurs travaux.

cious unhappiness of his childhood and teen years. Falling sick at seventeen and almost dying, he was emotionally shaken. His hospital reading of a romantic novel on Van Gogh led to a decisive conversion to a faith he has never betrayed: the art of painting.

This conversion led him to Paris in 1964 and later to New York. In Paris he rented an eighth-floor walkup and worked on his youngest tumultuous expressionisms. Dubuffet lives in these fresh and amazing early drawings, and Dubuffet's taste for the earth and Adamic naive mud. These earliest drawings, as in his latest, obsessive and tense calligraphy led him to the verge of a complete abstraction. He didn't "experience" the New Realism or French Pop Art at that time. He has worked on the sublimation of all this Romanticism in the last 30 years, but his bursting color is a lasting homage to the Irrational. This period is infected by some early experiences with the Cobra group, the calligraphic poems of Henri Michaux, and by Karel Appel and other painterly painters. The writing implied in these early calligraphic works accompanied his reading, not just of Zola, Balzac, and Michelet, but of the symbolists, and with a friend, he dreamed of an art of multiplicity, of blind drawings by both hands, of a music "that would get on your nerves". This nervy noisy music becomes his early work, and it is a synonym for doubt, multiplicity, and self-contradiction. He worked collaboratively with an extreme friend and speaks of an experience analogous to the Situationist dérive. All of this geo-psychological slide in the streets of painting initiates his later work. Little sense of DeKooning or Pollock, little sense of the magazines, or art reviews. (He speaks of his first experience of an art museum in Munich with its Van Goghs, in 1961 on an army leave. The rest of his life has been, perhaps, a continuance of this army leave.) When he saw an Andy Warhol in 1967 at New York's Sonnabend Gallery, he was

Il a été peu influencé par De Kooning ou Pollock, et par les magazines, ou revues d'art.

En 1961, pendant son service militaire, il profite d'une permission pour visiter un musée d'art à Münich où sont exposés des tableaux de Van Gogh (il se peut que le reste de sa vie ne soit que le prolongement de cette permission). Il s'étonne en voyant un tableau d'Andy Warhol en 1967 à New York à la Galerie Sonnabend ; je vois dans son travail le difficile syncrétisme entre son propre romantisme et le Pop Art américain.

Il arrive à New York avec 200 dollars en poche, ne parlant pas un mot d'anglais, au moment de la vogue du "Color Field Abstraction" qui d'ailleurs ne l'intéresse pas, avec ses lignes dures et ses géométries froides. Il prend finalement la décision de rejoindre la communauté artistique de Westbeth où il fait même une petite exposition. Il rencontre alors Carl Andre et Hans Haacke. Il se sent comme étranger à cette époque de l' "Information Show" au MOMA et continue sur sa voie. Il profite de tous les avantages de la marginalité à New York, c'est un peintre français vivant en Amérique, et, en France, un peintre américain né en Alsace.

Telle la double et triple ambiguïté de ses récentes images, il a vécu sous les signes de cette ambivalence. Sa survie dans la fournaise new-yorkaise lui a certainement profité.

En 1971, son travail, après avoir été influencé par l'Amérique et le Pop Art, subit l'influence de Miro. Il s'engage sur la voie minimaliste, mais il reconnaît que cette influence s'oppose à son amour de la ligne biomorphique. Il flirte avec l'idée de la surface en soi, sans illusion de profondeur, chère aux artistes américains et, par la suite, il prend ses œuvres, les couvre de noir et, comme dans un jeu d'enfants, les fait resurgir. Il emménage à Soho et considère cette nouvelle époque comme la "Période Noire" de son œuvre, parce que sa soumission aux schémas positivistes ne lui semble pas nécessaire. Le travail informel et froid ne sera pas son fort, mais, comme Van Gogh se soumettant au scientisme de Seurat, il dit en plaisantant que son éloignement le plus marqué envers celui-ci résulte en une série de tableaux tracés à la règle et au tire-ligne. Puis, suivent des travaux semblables à des autels, avec un goût

astonished, and I see in his work the difficult syncretism of his romanticism and the late symbolist Pop Art of America.

He came to New York with $200 and not a word of English and arrived at the height of Color Field Abstraction, which horrified him with its hard edges and cold geometries. He made an early decision to join the artist's community at Westbeth and even had a little show there. He met Carl Andre and Hans Haacke. But he felt like an Outsider in the epoch of the Information Show at MOMA and continued on his way. He has had the advantage of the margin—in New York, a French painter living in America, and in France, an American painter born in Alsace. Like the double and triple puns of his later signs, he has lived under the sign of this layered separation. Certainly his survival in the furnace of New York has been to his advantage.

By 1971, something American and an influence of Pop Art is matching Miro's influence on his work. Minimalism enters, but he acknowledges that this invasion competed with his love of the biomorphic line. He accepted a certain flatness from the Americans and, later he took these works and covered them with black and unburied them as in a child's game. He moved to Soho and regards this early epoch as "the Dark Ages" of his work, because his submission to positivistic grids did not seem necessary. Cold and whimsical work was not to be his forte, but, like Van Gogh submitting to a more scientific Seurat, he has joked that his greatest pilgrimage from Van Gogh was ruling-pen paintings with a straight-edge. Next came altar-like pieces, with a taste for the arcana of the sacred, and he returns to an écriture upon these that is strong and slashing. The tonda too is an audacity of this period. The lines that will later be a description of the alphabet are already a glimpse of the decorative atoms of the body.

At the time of American graffiti, he had no populist or political drives. Here, in the early 1980s, he invented a series of flat cubes inscribed by his intense linearities. And Haesslé cannot hide that these works reveal the autodidact to be what the clichéd American most fears: civilized, european, learned. And his art speaks of happiness with the

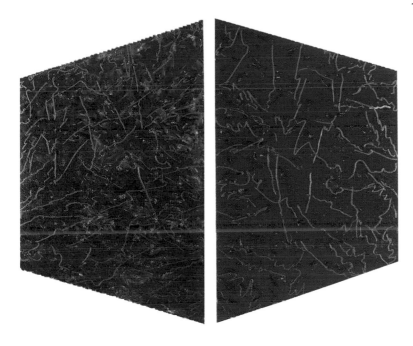

pour les arcanes du sacré, et un retour à une écriture puissante et rapide. Le tondo est aussi une audace de cette période. Les traits qui s'avéreront ultérieurement être une description de l'alphabet sont déjà un aperçu des atomes décoratifs du corps.

A l'époque des graffitis américains, il n'est ni engagé socialement, ni politiquement. Au début des années 80, il invente une série de tableaux trapézoïdaux recouverts de son intense écriture linéaire. Haesslé ne peut cacher que ces travaux révèlent qu'il est un autodidacte, le cliché américain le plus redouté, civilisé, européen, cultivé. Son art parle de bonheur avec le courage que Kenneth Koch, qui en son temps, attribua à St. John Perse "le courage d'inventer un modernisme non pas fait d'angoisse mais de sérénité". De grandes toiles efflorescentes émergent avec une facture où se confondent les paysages de Cézanne, Kandinski et Pollock. Les joies de ce cosmos turbulent, charnu, sont révélées dans les alphabets comme une orgie sans traumatisme : une célébration picturale virevoltante de la chair. Qu'est ce qui le conduit aux alphabets ? Il veut donner à son travail plus de contenu. Il a le sentiment que ses sujets se répètent trop. Le graphisme de l'alphabet le séduit plus que les corps. La patience et la ténacité apprises quand il était ajusteur dans les mines le conduisent à apprécier les imageries Renaissance qu'il découvre en 1989. Ce profond changement dans son travail, survenant à un âge mûr, est

courage that Kenneth Koch once ascribed to St.-John Perse: the courage to invent a modernism not of anguish but of ease. Large efflorescent canvasses emerge with a landscape of Cézanne, Kandinsky, and Pollock. The joys of this turbulent fleshy and inclusive cosmos are revealed in the later alphabets as an orgy without traumata: a swiveling, painterly celebration of flesh. What led him to the alphabets? He wanted "more content". His driven decorations, he felt, had become too reiterative. The line of the alphabet seduced him more than his bodies. Here, the patience and tenacity he learned as a miner and metal-worker led him to the approval of the Renaissance signs he discovered in 1989. This change to the alphabet, in his late forties, was a conversion to an imagery as difficult as Mondrianís late conversion through Cubism. In a bleak period, walking with a stick for a year after back surgery, he was willing to abrogate some of the rights of his expressionism through this Kabbalistic search for a perfect language of elongated signs of the body. We should not underestimate the difficulty of this change. Retrospectively, we note how he has used his learning and his turmoil in DeKooning-esque drive to put a fracture through his sense of space and never to lose sight of Baroque color and its infinite unfoldings. (He dreams in his future of ever-increasing depth, literal depth of the canvas, increasing risk, and increasing audacity. He does not want to "settle" for facility.)

His bodies, opened up, becomes an internal landscape. What he prefers is a color that is at once subtle and strong, that little bit of excessive color that disturbs and surprises us. In the best of these works, we have a celebration of the figurative and abstract at once, in that place, precisely, where the part becomes whole and the fragment is reconstructed before our eyes without reduction or distortion. The paradise of Haessle's orgiastic bodies is perhaps that visual field conjured by Wittgenstein that shows that there is, after all, no death. Turning an inch, as Cézanne said of the motif, changes everything: and we have a new beloved, a new landscape, a new language. We do not need to give this up, like the adolescent Rimbaud, because we know it from the beginning to be the paradise of the subjunctive, of the imagination. We accept it, like the so-called armchair

---

Page 16

Left:

une conversion aussi difficile que celle tardive de Mondrian au cubisme. Après une opération du dos, période difficile pour lui, il veut abroger certains aspects de son expressionnisme à travers une recherche cabalistique tendant vers un langage parfait des signes stylisés du corps. Ne sous-estimons pas la difficulté de cette mutation. Rétrospectivement, on peut noter comment il a utilisé son savoir et son angoisse dans une pulsion à la De Kooning afin de casser sa perception de l'espace et de ne jamais perdre de vue la couleur baroque et ses déploiements infinis (il rêve pour l'avenir d'une profondeur encore plus infinie, profondeur littérale de la toile, d'un risque et d'une audace plus grande. Il ne veut pas s'installer dans la facilité).

Ses corps fragmentés deviennent un paysage interne. Il préfère une couleur à la fois subtile et forte, ce petit peu de couleur excessive qui dérange et nous surprend. Dans les meilleurs de ces travaux, on remarque immédiatement une célébration de l'abstrait et du figuratif, à l'endroit, précisément, où les parties deviennent un tout, et le fragment est reconstruit devant nos yeux sans réduction ou distorsion. Le paradis des corps orgiaques d'Haesslé est peut-être ce champ visuel conjuré par Wittgenstein qui montre qu'après tout, la mort n'existe pas. Le fait de changer l'angle du motif, comme Cézanne le faisait, change tout : et on a soudain une nouvelle bien-aimée, un nouveau paysage, un nouveau langage. Nous n'avons pas besoin de l'abandonner, comme l'adolescent Rimbaud, parce que nous savons depuis le début, que c'est le paradis de l'inconscient, de l'imaginaire. Nous l'acceptons, comme le soi-disant fauteuil de Matisse, comme la variante extrême des possibles, et nous comprenons, avec une certaine mélancolie, que c'est notre seule façon de vivre en Arcadie.
Haesslé est passé de travaux, dans lesquels on perçoit clairement les corps de son alphabet, peints sur fonds unis, à des corps déchirés, tordus et brisés, à des travaux dans lesquels les fragments lui fournissent des "ensembles de lignes", une sorte de théorie des ensembles du baroque selon le sens que lui donnait Deleuze. Il prend une liberté de plus en plus grandissante avec ce travail d'arabesques, de corps superposés, bien que les lignes soient toujours projetées et non inventées. Comme Johns, il est intrigué par la sou-

Right:

of Matisse, as the last variant of our possibility, and we understand, with some melancholy, that this is our only way to live in Arcadia. Haesslé has modulated from works in which one clearly perceives his Renaissance source of elongated bodies with simple grounds, to torn and twisted and shattered bodies, to works in which the fragments supply him, as he has remarked, "sets of lines", a kind of group theory of the Baroque fold in Deleuze's magisterial sense. He is taking increasing freedom with this folded and folding work, though the lines are always projected not invented. Like Johns, he is intrigued by the wise acceptance of the given. He still uses the large projection machine to sever him from mere invention. He prefers the coerced and cool and "calculating" aspect of the received line. Rhythm and color and gesture are then constrained by the tension of the given. Haesslé finds depth in this archaic given. He acknowledges that no usual viewer will understand this devotion to the given, but it drives the essential conflict of his constrained Expressionism.

The late works continue to afford us the greatest complexity within the drive for unity. He has loved the Mexico in which he recently painted, and his recent earth tones and pastels may have been influenced by his three-months sojourn there. In his arc of thirty-years work, his large devotion to the essential antinomy of color and line continues. Haesslé reminds us of the implacable way in which painting is not exactly language, and we recall that Van Gogh and Cézanne were Impressionists on the side, first, of what Jeremy Gilbert-Rolfe underlines as the least literary, the most optical of all of our revolutions. Part of Haesslé and his irony rests on using a vocabulary of torn language in which to celebrate the opticalities at an extreme. His literary annihilation of language through color and its irrational explosion reminds us of the paradox in O'Hara's lines: "Poetry must die but music is silent joy." What we understand in these lines is that the great structures, in a sense both of music and painting, are silent simultaneities. Perhaps his initial abhorrence of the Color Field was a revolution against the too-easy acceptance of this structural color. But in a sense, Haesslé's most recent works are a difficult meditation on color as field. The Kabbalistic fragments swarm into a surface demolished and theatrically thrown into sensual confusions.

mission sage au modèle existant. Il utilise encore l'épiscope pour se démarquer de la simple invention. Il préfère l'aspect contraignant, froid et calculateur de la ligne projetée. Le rythme, la couleur et le geste sont alors définis par la dynamique de l'image. Haesslé trouve de la profondeur dans l'archaïsme du modèle. Il reconnaît que l'observateur non averti saisira difficilement cette dévotion au modèle mais c'est le processus qui, à travers ce conflit essentiel, est le moteur de son expressionnisme maîtrisé.

Les derniers travaux présentent toujours la plus grande complexité dirigée vers la quête de l'unité. Il a aimé le Mexique où il a peint récemment, et ses tons couleur terre et pastel ont sans doute été influencés par ce séjour de trois mois. Pendant ces trente dernières années de travail, sa grande dévotion à l'égard de l'antinomie entre la couleur et le trait n'a jamais cessé. Haesslé nous rappelle la nature incontournable des principes qui font que la peinture n'est pas exactement langage, on se rappelle que Van Gogh et Cézanne étaient des impressionnistes singuliers, avant tout, mouvement que Jeremy Gilbert-Rolfe souligne comme étant le moins littéraire, le plus visuel de toutes nos révolutions artistiques.

Une certaine part de la perception d'Haesslé et son ironie reposent sur l'utilisation d'un vocabulaire au langage fragmenté dans lequel il célèbre à l'extrême les possibilités visuelles. Son anéantissement littéral du langage par la couleur et son explosion irrationnelle nous rappelle le paradoxe énoncé par O'Hara : "La poésie doit mourir, mais la musique est joie silencieuse". Par là, il faut comprendre que les grandes structures, d'une certaine façon la musique et la peinture, sont des simultanéités silencieuses. Peut-être son aversion initiale envers le "Color Field" était-elle une révolte contre l'acceptation trop facile de cette couleur structurelle. Mais d'un certain point de vue, les travaux récents d'Haesslé sont aussi une difficile méditation sur la couleur perçue comme champ visuel. Les fragments cabalistiques sont essaimés en une surface démantelée et théâtralement projetée à l'intérieur de sensuels désordres.

Haesslé n'est pas un peintre de la nature ; pourtant, il n'hésite pas à utiliser la couleur verte, incontournable de par

Haesslé is not a plein-airiste, but he does not avoid green and the inescapable nature of green. He loves the endless mixing he can accomplish with green. He has amazing early watercolors that have the openness and unfinished emptiness of Cézanne, but his instincts drive him toward balanced complementaries and away, again. The alphabet of Haesslé is an Utopian bather in his blue grounds. Haesslé speaks of "striking a balance" between an innate tidiness and precarious balance between intellect and emotion, between the forces of the given and biomorphic streamings over and

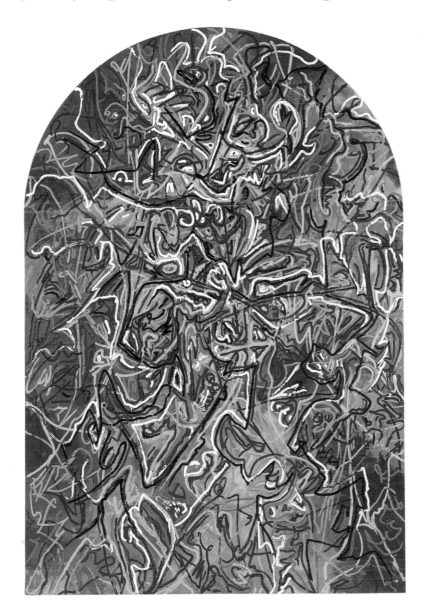

l'infinité de ses mélanges. Il a conservé d'étonnantes aquarelles qui présente le vide inachevé d'un Cézanne, cependant, ses instincts le conduisent vers des complémentarités qui s'équilibrent. L'alphabet d'Haesslé est comme un baigneur utopique sur fond bleu. Il situe son centre de gravité entre le sens inné de l'ordre et un équilibre précaire, entre l'intellect et l'émotion, entre les forces visuelles des lignes du corps qui s'opposent aux vagues colorées qui les parcourent. Ici, les modes de perception optique et symbolique se rencontrent mais ne se mélangent pas vraiment. Il exhume des corps conceptuels comme s'ils étaient des signes du Pop Art, mais ces explosions sans épicentre les transforment en ruines allégoriques. Dans ces ruines, nous retrouvons son romantisme.

Personne ne devrait douter de l'humour dans le travail d'Haesslé. Il prend des corps et les superpose, comme le ferait un metteur en scène. Avec le détachement d'un Antonioni, qui est ce que Gilberto Perez a appelé "le point de vue de l'étranger". L'étranger qui pourrait considérer qu'un signe dans la rue est aussi intrigant qu'une héroïne de film. Dans "Blue Tie" de 1995 (page 89), Haesslé a choisi de traiter la caricature quasi-Leonardesque dans son insistance à développer le grotesque pour en arriver à détruire l'aura. Tout au long de ce texte, on retrouve l'humour de la bande dessinée, les contours du Pop Art, sur le point d'être terrassés par une tempête de couleur.

Dans les travaux récents d'Haesslé, on découvre le spectacle du corps presque naufragé dans de subtils voiles de couleur. Chez Haesslé, les érotismes d'un anti-langage visuel et le graphisme du langage sont célébrés sans artifice. Il est significatif qu'un tableau datant de 1995 s'appelle "Threshold" ("Le Seuil", page 107), parce que chez Haesslé, ce qui est liminaire parvient, à travers la crise de la représentation, à un plaisir issu d'un glissement sans fin entre le champ visuel et la profondeur du tableau. Urbain et ordinaire comme son titre, "BMT" (page 65) balaie la notion que nous avons du corps, et la connecte à un rêve chirurgical de perfection. Mais il sait, comme Meyer Schapiro le soulignait, que pour nous la perfection est une hypothèse. Tout ce qui nous appartient est une marginalité vagabonde.

beyond them. Here, the optical and the symbolist cognitive mode meet and do not exactly mingle. He has excavated these conceptual bodies as if they were Pop Art signs, but his centerless explosions make them into allegorical ruins. In these ruins, we find his Romance again.

No one should doubt the humor in Haesslé's work. He takes bodies and drapes them together, like a film director, and with the coolness of an Antonioni, who has what Gilberto Perez has called "the viewpoint of a stranger", the stranger who may consider a line on the street as intriguing as a heroine. In "Blue Tie" of 1995 (page 89), he shows hilarious decisions concerning the caricature, almost Leonardoesque in its insistence on the growing grotesque in the breakdown of aura. And throughout this particular essay, there is the humor of a comic-book, of Pop Art outlines, about to be subdued by a storm of color.

In recent Haesslé, there is indeed the spectacle of the body almost shipwrecked in subtle veils of color. In Haesslé, the erotics of an optical anti-language and language's line are truly celebrated. It is not for nothing that a work of 1995 is called "Threshold" (page 107), because the liminal in Haesslé reaches through a crisis in the figure to a pleasure of unending slippage between field and ground. Urbane and ordinary as his title, "BMT" (page 65), he expunges our usual notions of body and connection and leaves a surgical dream of perfection. But he knows, as Meyer Schapiro underlined for us, that such perfection is an hypothesis. All we have is the wandering margin.

Recently, I was able to witness the drunken calligraphy of the Chinese master, Huai-su, ca. 735-799. In his handscroll of ink on paper, with its almost infinite elongation of 297 inches, Huai-su pursued an autobiographical essay of increasing spontaneity. This work taught one lesson about the West and its lack of a tradition of calligraphy. In Haesslés torn Renaissance alphabets, where language is body and vice versa, we have an attempt to restore us to a place where language and its typology might be matched by the fresh mind and its attack through hand. In the Chinese scroll, language is unveiled as landscape. Like the skeptical spontaneities of Montaigne, such work is both intensely lyrical and yet brist-

Récemment, j'ai eu la possibilité de voir la calligraphie "ivre" du maître Chinois, Huai-su, 735-799. Dans son rouleau de calligraphie, d'une longueur quasi-infinie de 7,60 m, Huai-su poursuivait un essai autobiographique d'une spontanéité grandissante. Ce travail donne une leçon à l'Occident et à son manque de tradition calligraphique. Dans les alphabets déchirés d'Haesslé, où le langage se fait corps et inversement, se trouve une tentative de nous replacer dans un lieu où langage et typologie sont alliés par un esprit nouveau et une main impétueuse. Dans le rouleau calligraphique chinois le langage est dévoilé comme un paysage. Comme le scepticisme de Montaigne, un tel travail est à la fois intensément lyrique et frissonnant, d'une objectivité froide et aphorique. Dans le dépouillement de cette calligraphie, qui constitue une véritable expérience autobiographique, nous recouvrons un mode d'expression à la fois linguistique et rétinien.

Pour ceux qui perçoivent un divorce entre Cézanne et Duchamp, je suggère la calligraphie comme médiateur. Haesslé a cherché sa propre méthode de médiation et il affirme sa folie à travers des couleurs sauvages.

David SHAPIRO

traduit par Véronique Sournies

David Shapiro est poète et historien d'art. Il a publié de nombreux recueils de poésie, ainsi que des monographies dont une sur les dessins de Jasper Johns et la première analyse approfondie sur les études de fleurs de Mondrian.

ling with a cold, aphoristic objectivity. In the nudity of this calligraphy, this truly autobiographical experiment, we recover a mode at once linguistic and retinal. For those who have found a divorce between Cézanne and Duchamp, I suggest the calligraphic as a mediating term. Haesslé has searched out his own method of mediation and he asserts its madness through wild color.

David SHAPIRO

David Shapiro is a poet and art historian. Beside's his many books of poetry, his monographs include a volume on Jasper Johns drawings, and a first comprehensive text on Mondrian's flower studies.

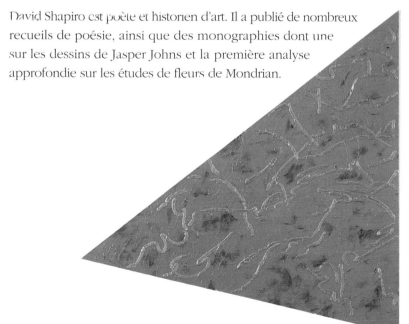

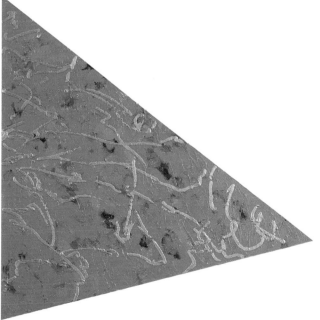

...à travers la composition des surfaces spontanément variées des œuvres de Haesslé, il existe des phases de réflexion. La plupart des grands tableaux ont, en effet, été précédés par des dessins dont certains figurent dans l'exposition actuelle. Puis, transférées à la main et au quadrant sur une toile préparée avec un fond en acrylique mate, les formes dessinées sont développées d'abord avec la brosse et finalement par l'application directe du tube de peinture. Les résolutions de couleur se produisent pendant cette dernière phase, quelquefois à l'aide des études aquarellées.

...les plus grands rythmes, les combinaisons formelles et leur modelé aboutissent à une intensité maximale, ou évoluent dans une énergie coercitive par opposition à d'autres éléments équilibrés ou dynamisés. Extravagantes, les compositions n'en sont pas moins judicieusement, souvent brillamment structurées et convergent en un ensemble de couleurs et de formes.

David Schaff
10 Janvier 1985

...below the spontaneously inflected surfaces of Haessle's work lies stages of deliberation in their composition. Most of the large painting were prefaced by drawings, a number of which appear in the present exhibition. Transferred by hand and by quadrant to a canvas prepared with a matte acrylic ground, the drawn shapes are developed first by brush and finally by direct application from the tube. Color resolutions occur in this final phase, sometimes with the direction of harmonies achieved in watercolor studies.

...the larger rhythms, the formal combinations of shapes and their modeling, reach maximum intensity or revolve in a centered cohesion of energy against which the other elements are balanced or varied. Dynamic and sometimes quixotic, the compositions are non the less judiciously, often brilliantly, structured in secondary terms by overall confluences of color, type of shape, and articulation.

David Schaff
January 10, 1985

Capricorn II, 1983
Huile sur toile, 193 x 235 cm.

Oil on canvas
76 x 92 in.

…en ce qui concerne la texture, l'œuvre la plus complexe de l'exposition, *Hélios*, est une peinture dont le fond blanc, peint à l'huile, est presque totalement recouvert par des formes luxuriantes, évocatrices d'oiseaux et de feuillages. Ces formes lumineuses, irradiées par le centre, prédisposent à une emphase du lyrique.

David Schaff
10 Janvier 1985

…texturally the most complex work in the show, Hélios, is an almost total submersion of an oil-based white ground in a luxury of bird-and-foliate color forms. These light shapes diffuse the center and effect a lyric disposition of emphasis.

David Schaff
January 10, 1985

Hélios, 1984
Huile sur toile, 193 x 260 cm.
Collection M. et Mme Thompson,
New York, NY

Oil on canvas
76 x 102 in.

Sans titre, 1985
Huile sur toile, 183 x 152 cm.
Collection privée, Allen Baron,
New York, NY

Untitled, 1985
Oil on canvas
72 x 60 in.

La couleur est le chemin
de cette peinture,
son monde, sa stratégie
essentielle. C'est elle
qui donne le parfum unique
- en sanskrit, le rasa
ou principe de base -
de chacune des pièces.

Color is the way,
and the world, and
the essential strategy:
it gives the unique perfume
in sanskrit, the rasa
or basic mode
of each piece.

All is well, 1986
Huile sur toile, 236 x 196 cm.
Collection privée, Floride

Oil on canvas
77 x 93 in.

Peau Rouge, 1985
Huile sur toile, 203 x 173 cm.
Collection privée, Texas

Oil on canvas
80 x 68 in.

Werther's journey, 1985
Huile sur toile, 203 x 171 cm.

Oil on canvas
80 x 67 in.

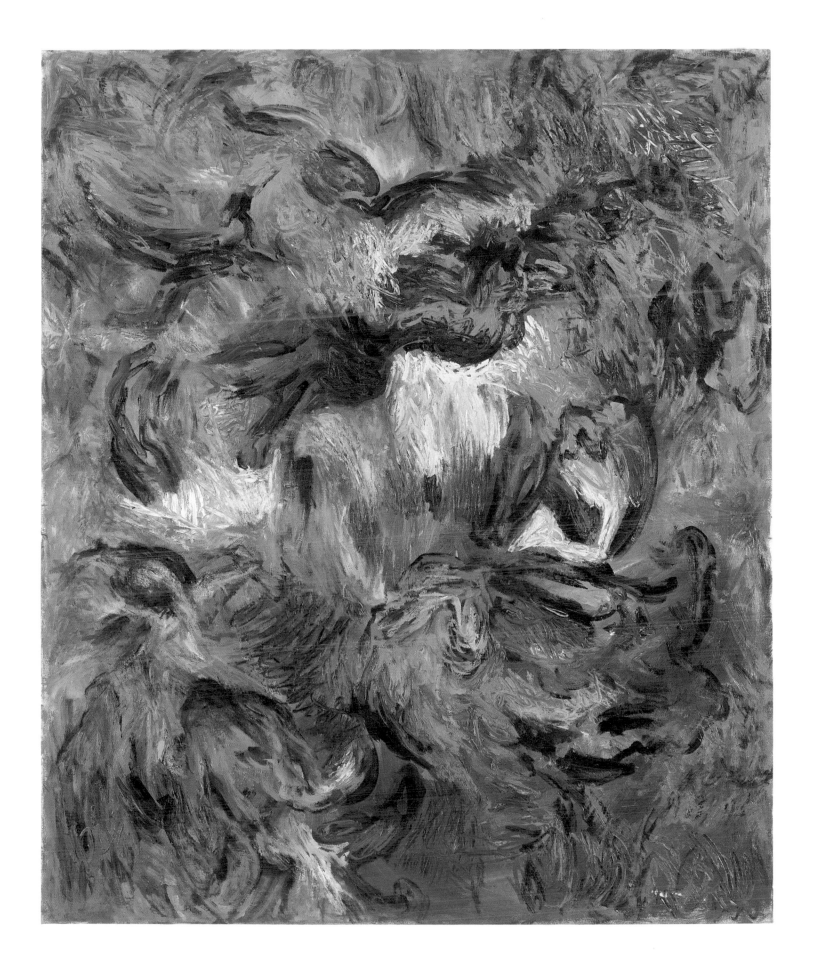

Sans titre, 1987
Huile sur toile, 234 x 183 cm.

Untitled, 1987
Oil on canvas,
92 x 72 in.

Sans titre, 1987
Huile sur toile, 163 x 137 cm.
Collection privée, Marie-Laure Solanet,
Paris

Untitled, 1987
Oil on canvas
64 x 54 in.

Sans titre, 1987
Huile sur toile, 183 x 234 cm.

Untitled, 1987
Oil on canvas
72 x 92 in.

Blue clearing, 1987
Huile sur toile, 165 x 210 cm.
Collection privée, Sylvie Deliquiet, Lyon

Oil on canvas
65 x 83 in.

Night Heat, 1987
Huile sur toile, 247 x 186 cm.
Collection privée, Bordeaux

Oil on canvas
97 x 73 in.

Gamblers find, 1987
Huile sur toile, 117 x 153 cm.
Collection privée, France

Oil on canvas
46 x 60 in.

Inklings, 1987
Huile sur toile, 163 x 137 cm.
Collection privée, Bordeaux

Oil on canvas
64 x 54 in.

Feeling good, 1988
Huile sur toile, 138 x 168 cm.
Collection privée, M. et Mme Berthet, Paris

Oil on canvas
54 x 66 in.

Sans titre, 1988
Huile sur toile, 168 x 168 cm.
Collection privée, M. et Mme Yves Sisteron,
Beverly Hills, CA

Untitled, 1988
Oil on canvas ·
66 x 66 in.

Sans titre, 1988
Huile sur toile, 193 x 259 cm.

Untitled, 1988
Oil on canvas
76 x 102 in.

Cajun night II, 1988
Huile sur toile, 132 x 112 cm.

Oil on canvas
52 x 44 in.

Sans titre, 1989
Acrylique sur toile, 213,5 x 162,5 cm.
Collection privée,
M. et Mme Denis Delbourg,
Rio de Janeiro

Untitled, 1989
Acrylic on canvas
84 x 64 in.

Sans titre, 1989
Acrylique sur toile, 236 x 195,5 cm.

Untitled, 1989
Acrylic on canvas
93 x 77 in.

Sans titre, 1990
Acrylique sur toile, 162 x 137 cm.

Untitled, 1990
Acrylic on canvas
64 x 54 in.

Sans titre, 1990
Acrylique sur toile, 230 x 169 cm.

Untitled, 1990
Acrylic on canvas
90 x 67 in.

Portrait in white and blue, 1993
Acrylique sur toile, 152 x 117 cm.

Acrylic on canvas
60 x 46

Enchanted, 1991
Acrylique sur toile, 194 x 162 cm.

Acrylic on canvas
76 x 64 in.

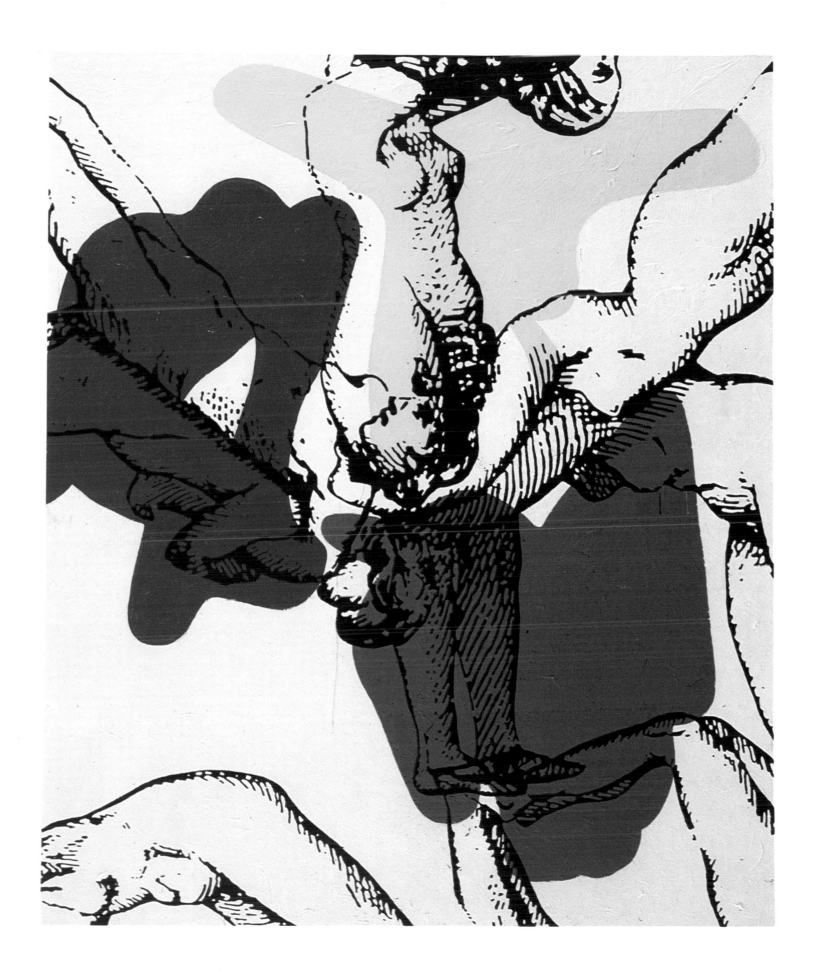

Ici, le désir trouve
dans le corps humain
l'architecture, le site par
excellence de tensions
sacrées. Le devenir
des tableaux monochromes
a émergé dans une
splendeur et une plénitude
"polychromatiques".
Le sublime lui-même est
esquissé, je dirais même
le paradoxe d'un sublime
plein d'humour.
Tous ces corps sont une
subversive orgie.

*Desire here finds the human
body the architectural site
par excellence of sacred
tensions. The future of his
monochrome works has
emerged in polychromatic
splendor and plenitude.
The sublime itself is gestured
towards, and I would
suggest the paradox
of a humorous sublime.
All these bodies are
a subversive orgy.*

Les lettres se débauchent,
se dérèglent, se dépravent.
De courtes scènes érotiques
se laissent imaginer.

*The letters become
debauched; they rave and
become depraved.
Short erotic scenes spring
to mind.*

BMT, 1991
Acrylique sur toile, 170 x 231 cm.
Collection privée, M. Ennemond Mazuyer,
Lyon

*Acrylic on canvas
67 x 91 in.*

Sans titre (gold), 1992
Dispersion métallique sur toile, 193 x 161 cm.
Collection privée, Dr Philippe Bertrand,
Strasbourg

Untitled (gold), 1992
Metalic powder on canvas
76 x 63 in.

Sans titre, 1993
Acrylique sur toile, 168 x 168 cm.
Collection privée, Guy Raoul,
New York, NY

Untitled, 1993
Acrylic on canvas
66 x 66 in.

Vigil, 1993
Acrylique sur toile, 152 x 115 cm.

Acrylic on canvas
60 x 45 in.

Portrait in Blue, 1993
Acrylique sur toile, 152 x 117 cm.
Collection M. et Mme Joe DiProspero,
New Jersey

Acrylic on canvas
60 x 40 in.

Ici, le trait et la couleur ont chacun leur chance. Chacun des deux éléments suit sa route en toute indépendance. Sur les toiles, ils se rencontrent, ils dialoguent. Ils inventent, à chaque coup, des manières diverses de collaborer. Haesslé, sans doute, n'est pas loin des conceptions de Fernand Léger, lorsque celui-ci, en 1952, à propos de la peinture murale, défend l'autonomie de la couleur par rapport aux formes : "La couleur est vraie, réaliste, émotionnelle en elle-même, sans se trouver dans l'obligation d'être étroitement liée à un ciel, à un arbre, à une fleur". Puis Fernand Léger compare la couleur autonome à une musique : "elle est une symphonie visuelle, soit harmonie, soit violence ; elle doit être acceptée de même".

Color and line both have their chance in this work. Each of these elements follows its own path independently. They meet on the canvas and dialogue. On each occasion, they invent various ways of working together. Haesslé's ideas are not unlike Fernand Léger's when the latter defended the autonomy of color in relation to form in mural painting: "Color is true, realistic, emotional in itself, without having to be intimately tied up with a sky, a tree, or a flower". Then Fernand Léger likens autonomous color to music: "It is valid in itself like a musical symphony; it is a visual symphony, either harmonious or violent and it must be accepted as such".

Sans titre, 1993
Acrylique sur toile, 167 x 137 cm.

Untitled, 1993
Acrylic on canvas
66 x 54 in.

Il ne tourne pas en dérision
le littéral ou le symbolique
dans ses peintures mais
s'attache plutôt à retravailler
et à repeindre leur surface
avec une délicate attention
pour le matériau, la texture
et la pâte. Il a constaté
combien la couleur n'était
pas une "couche"
mais participait plutôt
à l'émergence la plus
organique de l'œuvre.

*His paintings are not ironies
of the literal and symbolic,
but are often laborious
re-workings and
re-paintings with tender
attention to material,
texture, impasto.
He has remarked that color
is not to be considered
as "overlay", but as part of
the most organic beginning.
He is now drawing in color.*

For CA, 1994
Acrylique sur toile, 245 x 169 cm.

*Acrylic on canvas
96 x 66 in.*

J'ai toujours lu dans
ce travail une dimension
pathétique ; elle parle
d'un certain scepticisme
à propos de ce qui est
immédiat. D'un côté il y a
c'est vrai, l'immédiateté
de la couleur et les effets
de ses lumineux contrastes,
un monde que l'artiste a pu
comparer à Léger et d'autres
maîtres du début de la
modernité ; de l'autre,
on sent la mélancolie
virgilienne de ses figures
en rotation, réduites
en lambeaux.

*I have always found
a pathos in his work and
one that speaks of a certain
scepticism about
immediacy. And the one
hand, there is indeed
the immediacy of his color
and the effects of these
luminous contrasts, a world
he has compared to Leger
and other masters of early
modernity. On the other
hand, there is the Virgillian
melancholy of his rotated,
torn figures.*

Walking on water, 1995
Acrylique sur toile, 200 x 200 cm.
Collection privée,
M. et Mme Roland Anstett,
Strasbourg

*Acrylic on canvas
78 x 78 in.*

Exposure, 1995
Acrylique sur toile, 116 x 89 cm.

Acrylic on canvas
45 x 35 in.

Passeword, 1995
Acrylique sur toile, 116 x 89 cm.

Acrylic on canvas
45 x 35 in.

The better half, 1995
Acrylique sur toile, 116 x 89 cm.
Collection privée, Chamalières

Acrylic on canvas
45 x 35 in.

J'ai envie de souligner
l'angoisse de ces œuvres,
leurs étranges distorsions
du temps et des figures
du temps. D'une part, cette
cascade de couleur
éclatante, d'autre part,
un vieil alphabet
entr'aperçu, absurde
représentation de
nous-mêmes, presque
aussi pantins que la Marylin
mélancolique de Warhol.

*I underline the anxiety
of these works and their
strange distorsions of time
and time's bodies. On the
one hand, a waterfall
of flagrant color; on the
other hand, glimpses
of an old alphabet, ourselves
represented absurdly, almost
as much
mannequin as Warhol's
melancholy Monroe.*

Up front, 1994
Acrylique sur toile, 245 x 168 cm.

*Acrylic on canvas
96 x 66 in.*

Vanitas, 1995
Acrylique sur toile, 116 x 89 cm.
Collection privée, Mme Marie Charles,
Paris

Acrylic on canvas
45 x 35 in.

Road to Canaan, 1995
Acrylique sur toile, 116 x 89 cm.
Collection privée, M. D.
 St-Etienne

Acrylic on canvas
45 x 35 in.

Il peint à corps et à couleurs.
He paints in dashes of body and color.

Blue tie, 1995
Acrylique sur toile, 195 x 260 cm.

Acrylic on canvas
77 x 102,5 in.

Il peint à style et à cris.   *His painting is full of style and outcry.*

La main levée, 1994
Acrylique sur toile, 200 x 200 cm.

Acrylic on canvas
78 x 78 in.

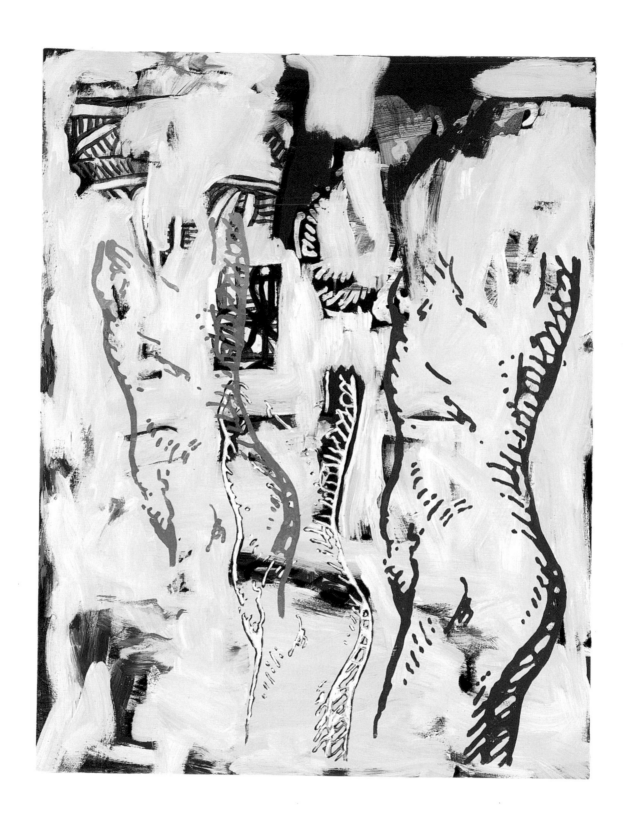

Torso I, 1995
Acrylique sur toile, 116 x 89 cm.

Acrylic on canvas
45 x 35 in.

Torso II, 1995
Acrylique sur toile, 116 x 89 cm.
Collection privée, M. et Mme Berthet,
Paris

Acrylic on canvas
45 x 35 in.

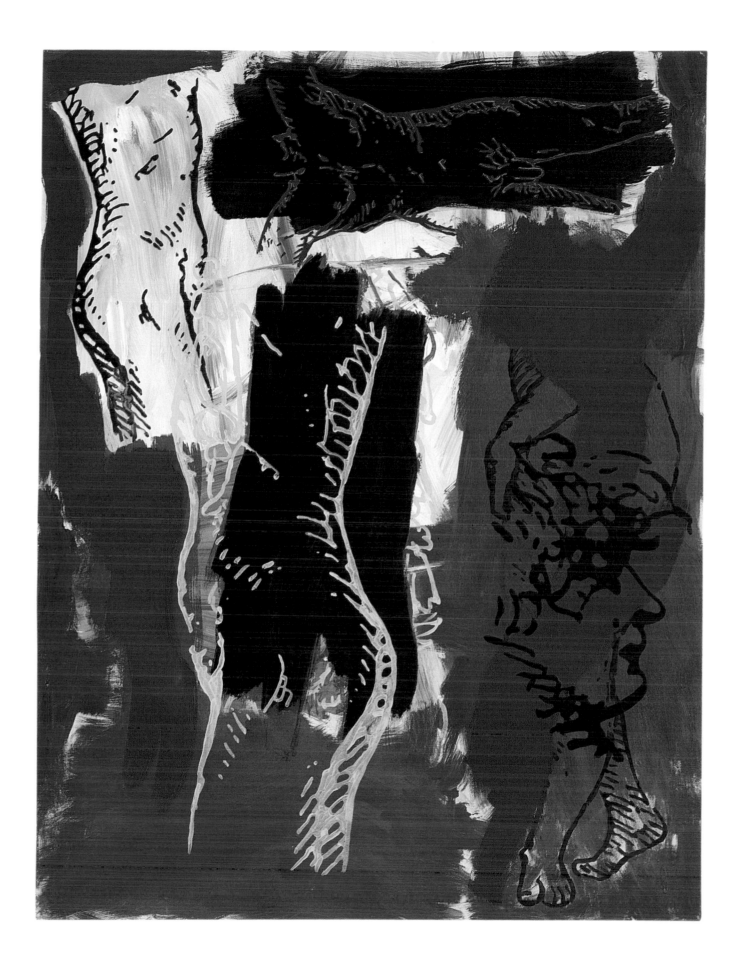

Eden, 1995
Acrylique sur toile, 116 x 89 cm.

Acrylic on canvas
45 x 35 in.

Il peint à trait   *He paints in lines*
et à débordement du trait.   *and lines that spill over.*

Red hot lover with cigar indian, 1995
Acrylique sur toile, 200 x 200 cm.

Acrylic on canvas
78 x 78 in.

Intensif knowledge, 1995
Acrylique sur toile, diptyque,
168 x 336 cm.

Acrylic on canvas diptyque,
66 x 132 in.

True Blue, 1995
Acrylique sur toile, 152 x 117 cm.

Acrylic on canvas
60 x 46 in.

Hot days, 1994
Acrylique sur toile, 193 x 161 cm.

Acrylic on canvas
76 x 63 in.

Inside out, 1995
Acrylique sur toile, 147 x 117 cm.
Collection Mlle Fern Pochtar,
New York, NY

Acrylic on canvas
58 x 46 in.

Taboata, 1996
Acrylique sur toile, 117 x 98 cm.

Acrylic on canvas
46 x 35 in.

Il peint au contrôle   *He paints with restraint*
et à l'excès.   *and excess.*

Orizaba, 1996
Acrylique sur toile, 200 x 200 cm.
Collection Museo de Artes, Querétaro, Mexique

Acrylic on canvas
78 x 78 in.

Threshold, 1995
Acrylique sur toile, 200 x 200 cm.

Acrylic on canvas
78 x 78 in.

Recreo, 1996
Acrylique sur toile, 200 x 200 cm.

Acrylic on canvas
78 x 78 in.

Mesones, 1996
Acrylique sur toile, 200 x 200 cm.

Acrylic on canvas
78 x 78 in.

Los tios, 1996
Acrylique sur toile, 116 x 89 cm.

Acrylic on canvas
45 x 35 in.

Il peint à figures
et à abolition de la figure.

He paints figures and
the abolition of the figure.

Sans titre, 1996
Acrylique sur toile, 173 x 142 cm.

Untitled, 1996
Acrylic on canvas
68 x 56 in.

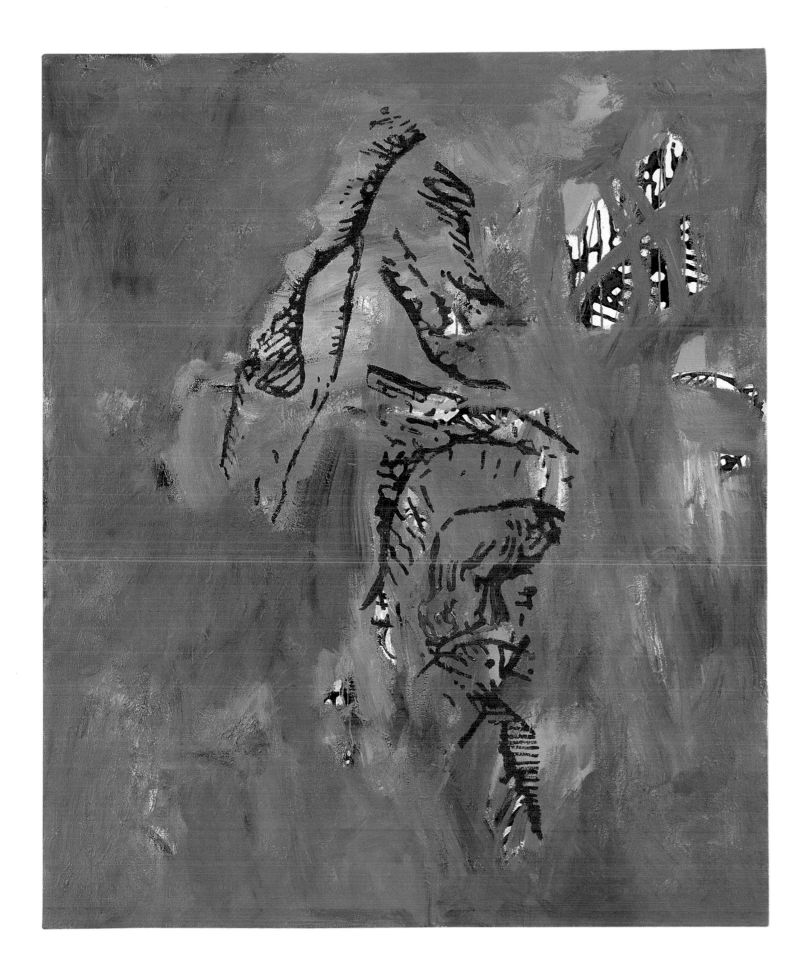

Gates, 1995
Acrylique sur toile, 200 x 200 cm.

Acrylic on canvas
78 x 78 in.

Going with the stream, 1996
Acrylique sur toile, 152 x 122 cm.

Acrylic on canvas
60 x 48 in.

Carmen, 1996
Acrylique sur toile, 163 x 130 cm.

Acrylic on canvas
64 x 51 in.

Il peint à harmonie   *He paints harmony*
et à discordances.   *and discord.*

Sans titre, 1996
Acrylique sur toile, 152 x 122 cm.

Untitled, 1996
Acrylic on canvas
60 x 48 in.

Huertas, 1996
Acrylique sur toile, 200 x 200 cm.

Acrylic on canvas
78 x 78 in.

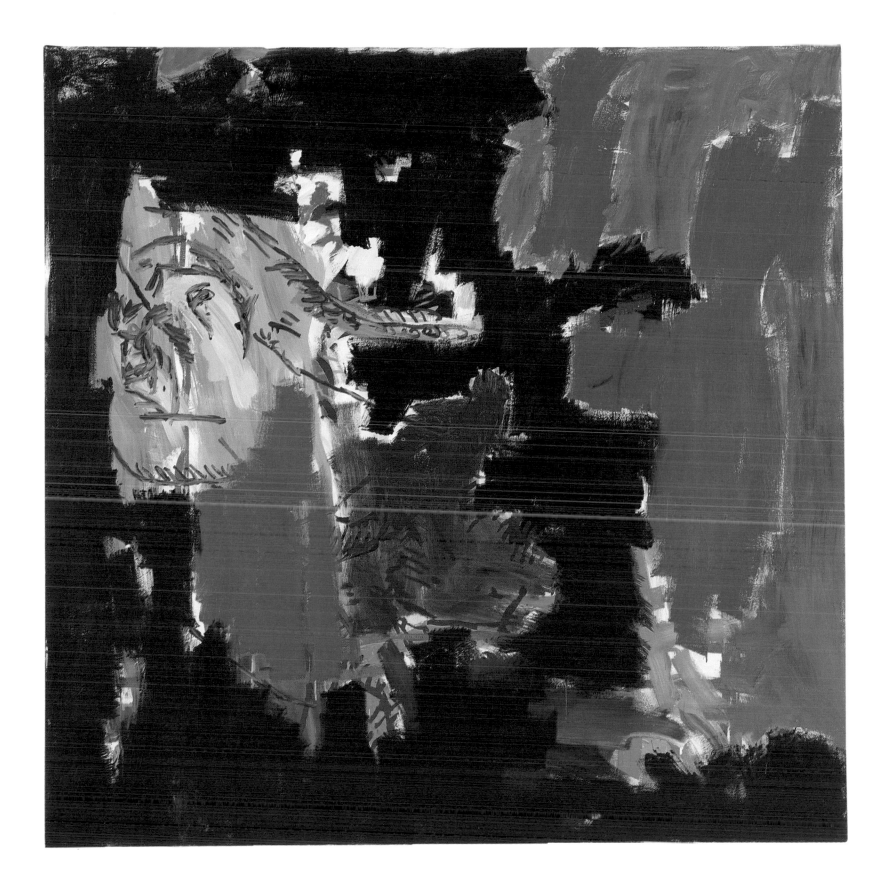

Sans titre, 1996
Acrylique sur toile, 168 x 168 cm.

Untitled, 1996
Acrylic on canvas
66 x 66 in.

Sans titre, 1996
Acrylique sur toile, 173 x 127 cm.

Untitled, 1996
Acrylic on canvas
68 x 50 in.

"Les parties du tableau effacées ont autant de signification que celles qui restent. On sent qu'il y a eu des choses sous la peinture". Par l'effacement, il produit de l'invisible : un invisible efficace. Il crée, en quelque sorte, une absence présente, une signification énigmatique.

"The hidden parts of the painting are just as significant as the parts that remain. You can tell there's been something under the paint". Through erasure he produces the invisible - and an effective one. In a way, he creates pregnant absence, enigmatic significance.

Placements, 1996
Acrylique sur toile, 117 x 112 cm.

Acrylic on canvas
46 x 40 in.

Sans titre, 1996
Acrylique sur toile, 137 x 107

Untitled, 1996
Acrylic on canvas
54 x 42 in.

Sans titre, 1996
Acrylique sur toile, 163 x 137 cm.

Untitled, 1996
Acrylic on canvas
64 x 54 in.

Les corps en quelque sorte
immatériels de Haesslé
sont êtres de fuite.

*Haesslé's somewhat
immaterial bodies are
fleeting beings.*

Theorema, slate grey, 1996
Acrylique sur toile, 168 x 168 cm.

*Acrylic on canvas
66 x 66 in.*

Lorsqu'il efface (comme il dit aimer le faire) certaines parties des formes, lorsqu'il suggère ainsi l'existence de parties ensevelies, cette suggestion entre dans sa stratégie de sauvegarde. Il offre de nouvelles chances, de nouvelles possibilités aux formes fragmentées.

And when he erases certain parts of the forms (which he says he enjoys doing), and hints at the existence of concealed parts, this hinting becomes part of his preservation strategy. He gives these fragmented forms fresh opportunities and possibilities.

Atotonilco, 1996
Acrylique sur toile, 200 x 200 cm.

Acrylic on canvas
78 x 78 in.

Sans titre, 1996
Acrylique sur toile, 168 x 168 cm.

Untitled, 1996
Acrylic on canvas
66 x 66 in.

BIOGRAPHIE

JM HAESSLÉ

Expositions personnelles

1997   Institut français de Thessalonique, Grèce
Galerie Prébet, Roanne, France
Galerie Gastaud & Caillard, Paris, France
Museo de Arte, Queretaro, Mexique

1996   Kim Foster Gallery, New York, NY
Galerie Gastaud, Clermont-Ferrand, France

1995   Centre européen d'actions artistiques
contemporaines, Strasbourg, France
Galerie Gastaud & Caillard, Paris, France
Kim Foster Gallery, New York, NY
Galerie Athisma, Lyon, France

1994   Château du Grand Jardin, Joinville, France

1993   Galerie Catherine Fletcher, Paris, France

1991   Galerie Gastaud, Clermont-Ferrand, France
Galerie Athisma, Lyon, France

1989   FCI Institute, New York, NY
Galerie Jade, Colmar, France
Galerie Laurentienne, Bordeaux, France

1988   Galerie Lucien Durand, Paris, France

1987   Galerie Lucien Durand, Paris, France
Guggenheim Gallery, Miami, Floride

1986   Little John-Smith Gallery, New-York, NY

1985   Taylor Hudson Gallery, Boca Raton, Floride
Reynold Kerr Gallery, New York, NY

1981   Gabrielle Bryers Gallery, New York, NY

1980   RR Gallery, New York, NY

1979   National Academy of Science, Washington D.C.
The Atlantic Gallery, Washington D.C.

1973   Westbroadway Gallery, New York, NY

1972   Westbeth Galleries, New York, NY

1968   Panoras Gallery, New York, NY

Expositions collectives

1997 "Haeven", PSI, New York, NY
"Nomade", Art in General, New York, NY
Museo de Arte, Querétaro, Mexique
1996 "Blue", Broadway Gallery, New York, NY
1995 Galerie Cocotier, St-Etienne, France
Centre européen d'actions artistiques
contemporaines, Strasbourg, France
1994 Kim Foster Gallery, New York, NY
Galerie Catherine Fletcher, Paris, France
Foster-Peet Gallery, New York, NY
1993 Andover-White Gallery, New York, NY
Galerie Athisma, Lyon, France
Cavaliero / Navarra Fine Arts, New York, NY
1992 Cavaliero / Navarra Fine Arts, New York, NY
Galerie Athisma, Lyon, France
"Contemporary Works on Paper" Gallery Standhal,
New York, NY
Foster-Peet Gallery, New York, NY
1991 Cavaliero Fine Arts, New York, NY
Salon de Montrouge, Paris, France
Galerie Lucien Durand, Paris, France
1990 Galerie Lucien Durand, Paris, France
1989 Galerie Lucien Durand, Paris, France
Galerie Jade, Colmar, France
1988 Salon de Montrouge, Paris, France
Galerie Lucien Durand, Paris, France
1987 Art Barn Association, Washington D.C.
Little John-Smith Gallery, New York, NY
Galerie Jade, Colmar, France
1986 Little John-Smith Gallery, New York, NY
1985 Reynolds Kerr Gallery, New York, NY
1984 Reynolds Kerr Gallery, New York, NY
1983 Cavaliero Fine Arts, Art 14'83, Kunstmess, Basel
Galerie Bertin, Lyon, France
1982 Cavaliero Fine Arts, Kunstmess, Basel
1981 Gabrielle Bryers Gallery, New York, NY
1980 Gabrielle Bryers Gallery, New York, NY

1979 Kathryn Markel Gallery, New York, NY
Haber-Theodore Gallery, New York, NY
1978 The Aldrich Museum of Contemporary Art, Ridgefield,
Connecticut
1977 Robert Friedus Gallery, New York, NY
OIA, New York, NY
1976 Fine Art Gallery, New York, NY
1975 "Young Arts '75", Union Carbide, New York, NY
1974 "Young Talent Festival '74" Pace Editions, New York,
NY
"59th Annual Juried Exhibition", Hudson River
Museum, Yonkers, NY
1973 Springfield Art Association, Springfield, Connecticut
"Works on Paper", Triangle Church, New York
"Young Artist '73", Union Carbide, New York
New York Contemporary Graphic Exhibition, Taïwan
Provincial Museum, Taipei
1972 Palace of Fine Arts, Mexico, Mexique
Albright-Knox Gallery, Buffalo, NY
" 9th Annual Print Exhibition " Sillverminc Guild,
New Canaan
1971 Martha Jackson Gallery, New York, NY
Cornell University, Ithaca, NY

Sur l'idée originale de Daniel GASTAUD

Portrait :
Ralph GIBSON

Photographes :
Jean VONG - Larry WHEELOCK - James DEE

Traduction :
Véronique SOURNIES - Neal COOPER
Hélène GILLES

Interview :
Catherine ULMER

Remerciements :
Gilbert LASCAULT - Jean-Yves BAINIER
Ingrid FILOT - David SHAPIRO - David SCHAFF

Le Centre Européen d'Action Artistique
Contemporaine de Strasbourg
Château du Grand Jardin, Joinville

Couverture :
El Niño 1995, 198,5 x 198,5 cm.

© Editions ALTERNATIVES
5, rue de Pontoise, 75005 Paris

© Collection AU MÊME TITRE
2, rue Marcelin Berthelot, 93100 Montreuil

Conception et réalisation : SAMARKAND - Paris

Photogravure : ALIZÉS

Achevé d'imprimer par BOOKPRINT, S.L., Barcelone, en Novembre 1996.
Imprimé dans l'Union européenne.